MON CAHIER D'EXERCICES

PRÉMATERNELLE

Colorier · Observer · Tracer

Compter · Jouer

Ce cahier appartient à :

GÉNIES JR.

ROUGE

Cette pomme est ROUGE.

Colorie le camion de pompiers en ROUGE.

3

JAUNE

Le soleil est JAUNE.

Colorie le canard en JAUNE.

BLEU

Cette voiture est BLEUE.

Le BLEU est aussi la couleur de la mer et du ciel. Dessine des vagues en utilisant 2 bleus différents.

VERT

Cette grenouille est VERTE.

Quand vient le printemps, tout est VERT dans la nature.
Colorie ces feuilles en utilisant des verts différents.

ORANGE

Ce fruit tient son nom de sa couleur.

Ce soir, c'est l'Halloween.
Colorie toutes les citrouilles en ORANGE.

Colorie ce dessin en suivant le modèle.

Colorie les poupées russes en suivant le code couleur.

Colorie toutes les rayures du zèbre en noir.

Colorie ce dessin en suivant le code couleur.

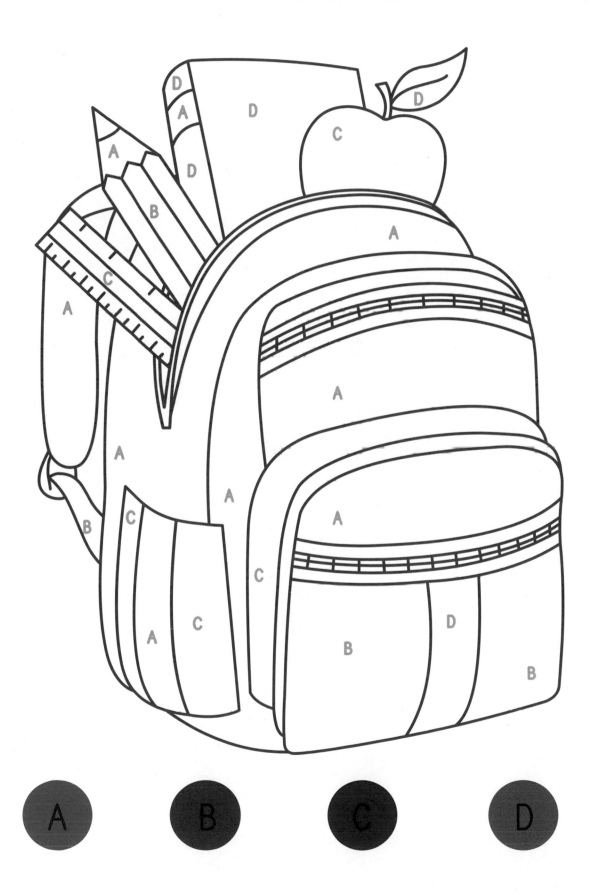

A   B   C   D

Quel beau bouquet de fleurs ! Colorie-le avec tes couleurs préférées.

Colorie ce dessin en suivant le code couleur.

Colorier

Colorie le poisson en suivant le code couleur.

Colorie les moutons qui sont tournés vers la gauche.

Colorie ces fleurs pour qu'elles soient toutes différentes.

Relie chaque élément à son ombre.

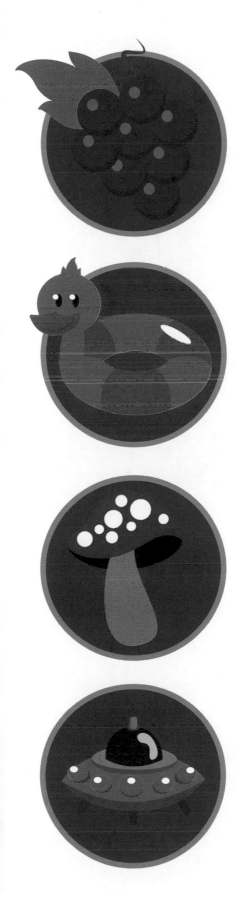

ROSE

Cette fleur est ROSE.

Une princesse ne s'habille qu'en ROSE ! Entoure tous les éléments qui font partie de sa garde-robe.

VIOLET

Cette aubergine est VIOLETTE.

Relie-la aux autres éléments violets.

NOIR

Cette silhouette de chat est NOIRE.

Relie chaque chat à sa silhouette.

Entoure les cœurs en rouge et les étoiles en bleu.

Entoure les oiseaux rouges et fais un X sur tous les oiseaux bleus.

Entoure tous les poissons verts.

Relie les éléments qui sont de la même couleur.

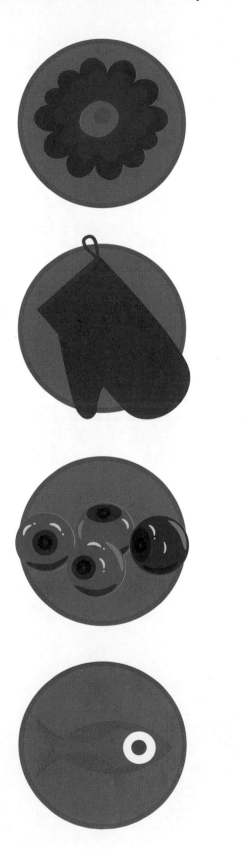

Relie les éléments qui sont de la même couleur.

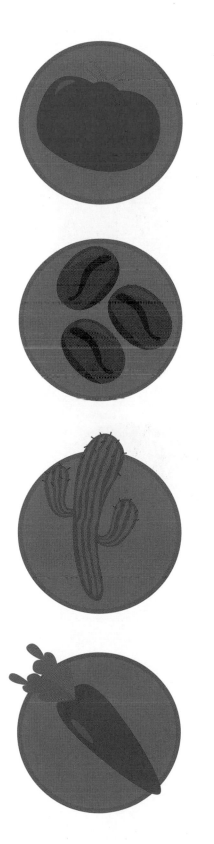

Relie entre eux les éléments qui ont la même forme.

Fais un X sur tous les carrés que tu vois sur cette image.
Combien y en a-t-il ?

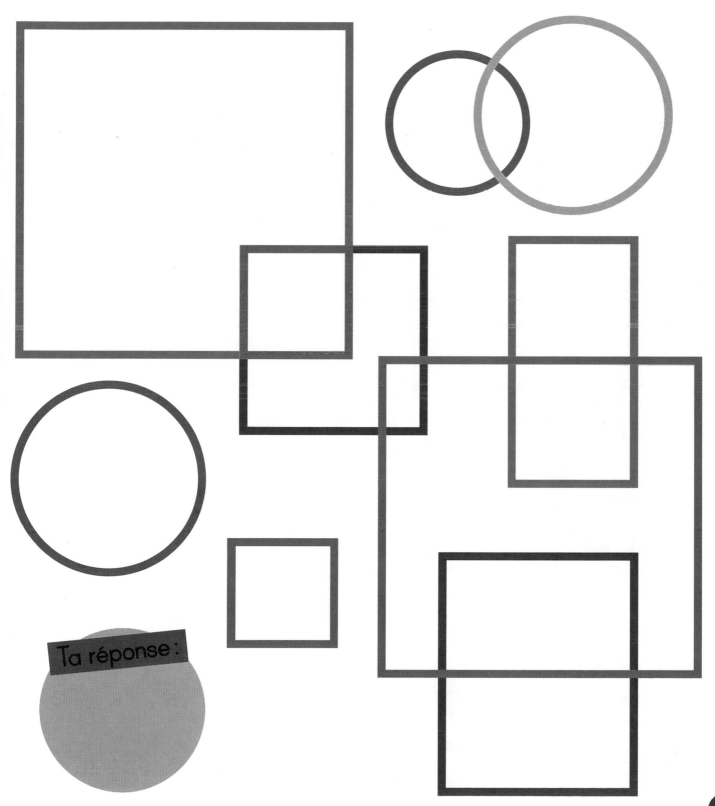

Ta réponse :

Observer

Dans chaque rangée, entoure les deux éléments de même taille.

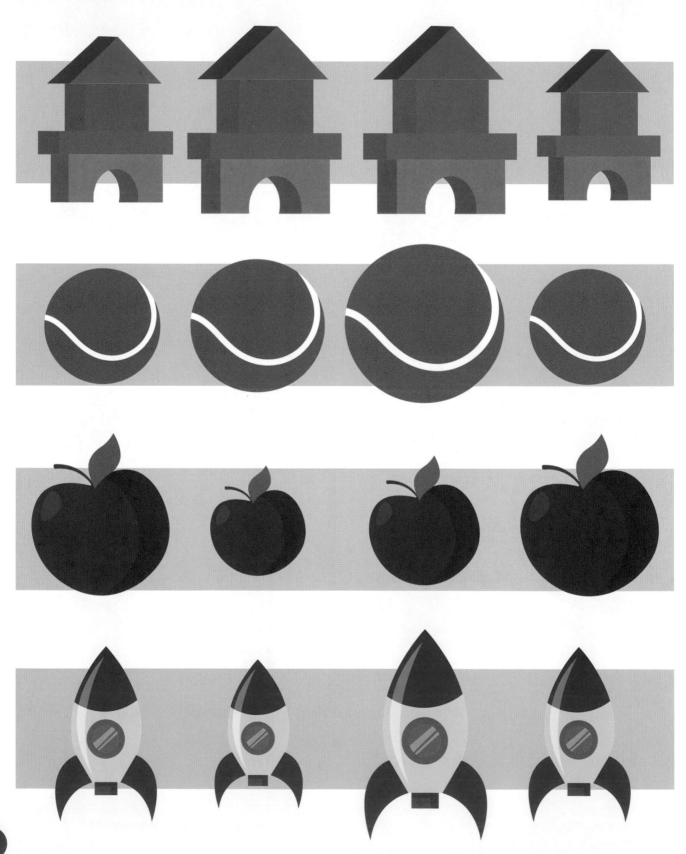

Relie les chiens entre eux du plus long au plus court.

Entoure le plus gros et le plus petit véhicule.

Dans chaque rangée, entoure le plus gros élément.

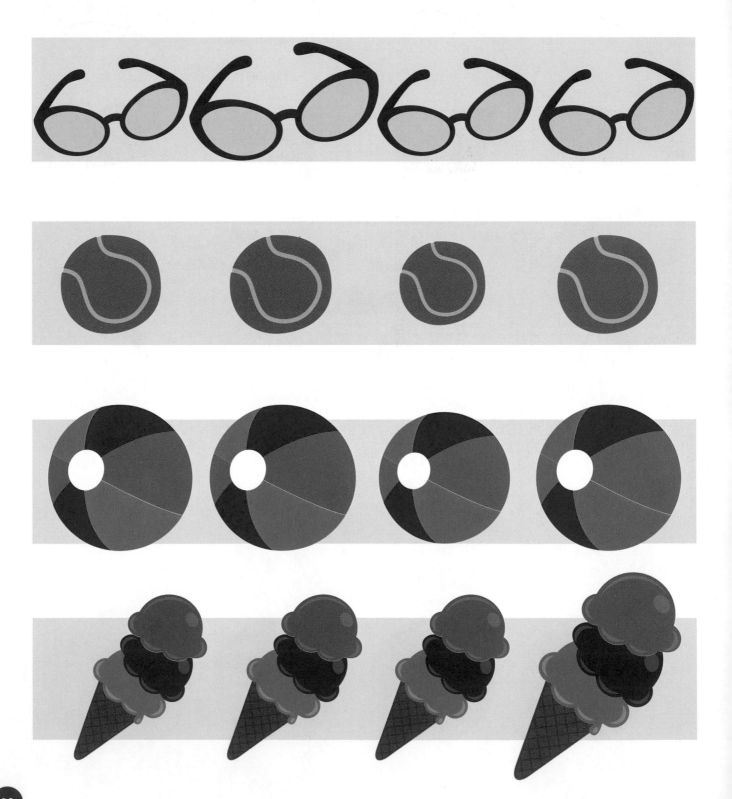

Observer

Dans chaque rangée, entoure l'élément qui n'est pas de la même taille que les autres.

Entoure les animaux qui se dirigent vers la gauche (⟵).

Observer

Relie chaque animal à son ombre.

Entoure les 2 chatons qui sont identiques.

Entoure les 2 bonbons qui sont identiques.

Forme des paires en reliant les éléments deux par deux.

Forme des paires en reliant les éléments deux par deux.

Forme des paires en reliant les éléments deux par deux.

Entoure les véhicules qui se dirigent vers la droite (⟶).

Entoure les voitures tournées vers la droite (⟶).

Observer

Entoure les canards tournés vers la gauche (←).

Relie chaque feutre à son capuchon en respectant les couleurs.

Observer

Entoure le plus gros et le plus petit véhicule.

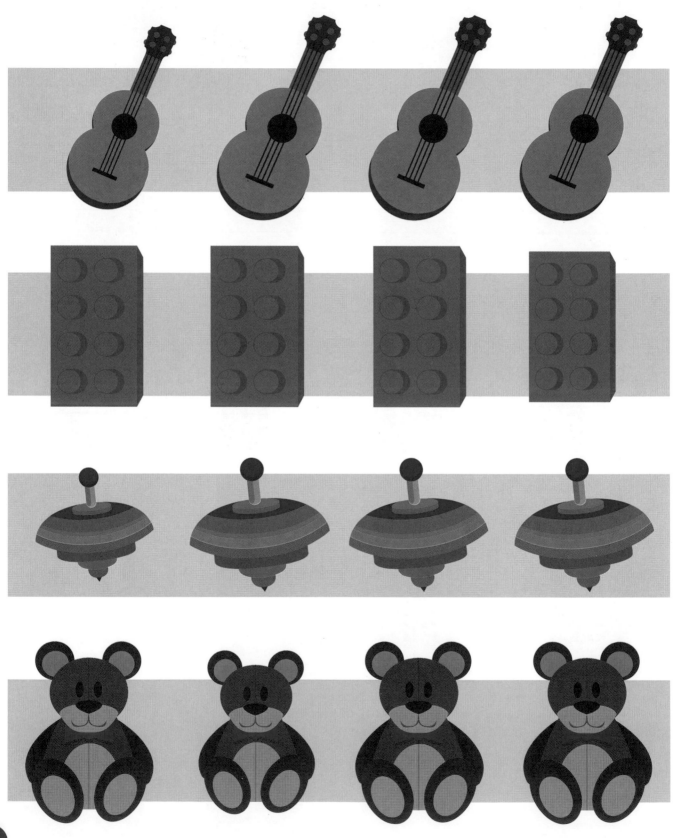

Dans chaque rangée, entoure le plus petit élément.

Trouve l'intrus et entoure-le.

Trouve l'intrus et entoure-le.

Complète le bonhomme de neige. Ajoute-lui des yeux, des bras et des vêtements.

Trace tous les cercles avec des crayons de différentes couleurs.

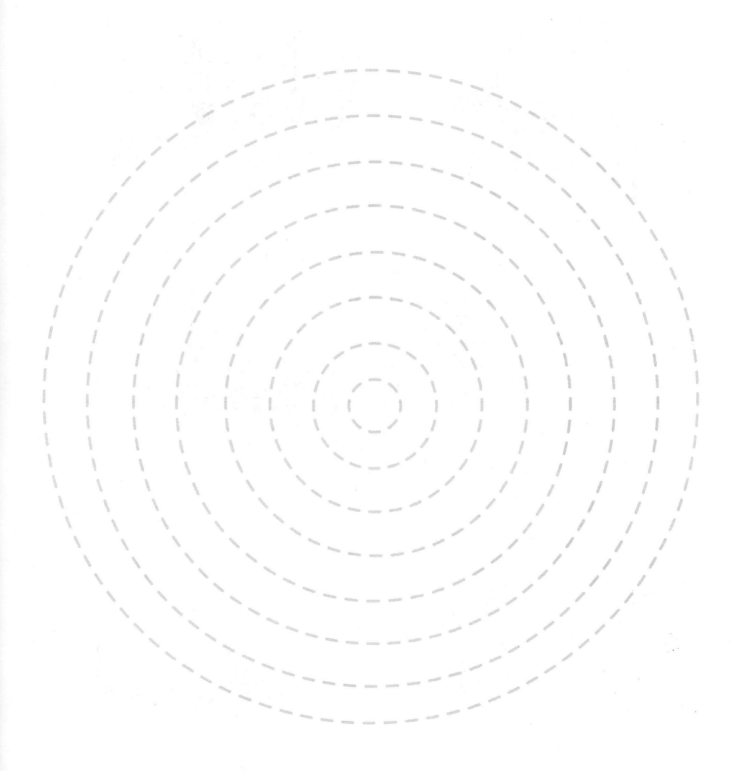

Tracer

Entraîne-toi à tracer des cercles en repassant sur les roues des véhicules.

Trace tous les rectangles pour compléter ce dessin.
Puis, colorie-le à ton goût.

Trace tous les triangles avec des crayons de différentes couleurs.

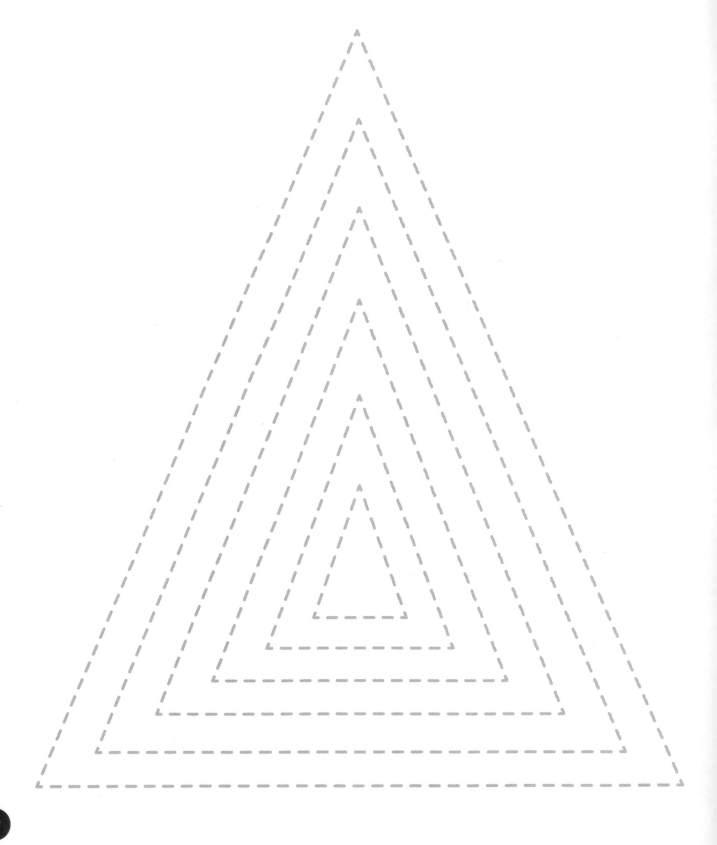

Repasse sur les pointillés et colorie les astres.

Tracer

Entraîne-toi à tracer ces motifs.

Trace tous les carrés avec des crayons de différentes couleurs.

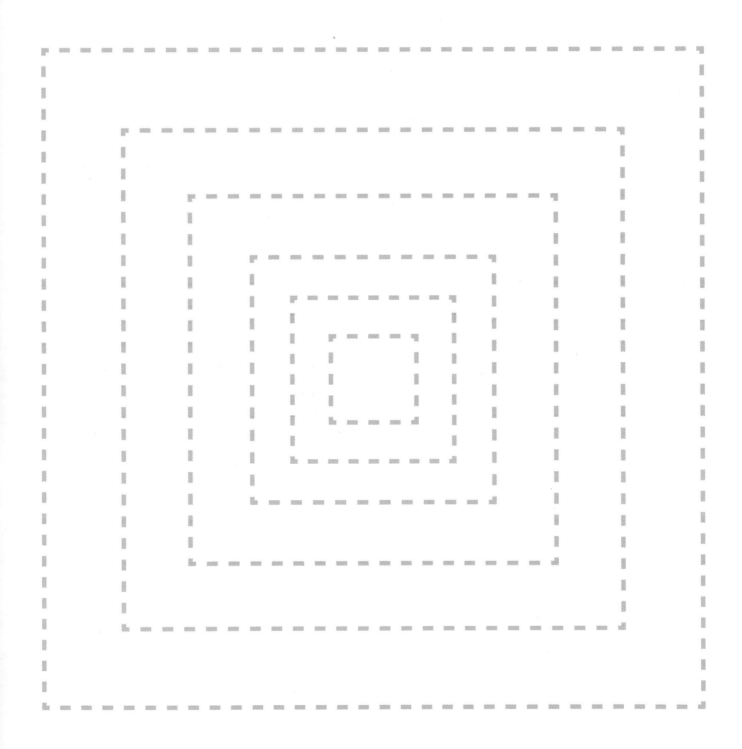

Tracer

Trace et colorie les ovales en bleu et les rectangles en rouge.

Dessine les yeux, le nez et la bouche de Léo.
Choisis s'il est triste ou joyeux.

Dessine les yeux, le nez et la bouche de Marie.
Choisis si elle est triste ou joyeuse.

Entraîne-toi à tracer ces motifs.

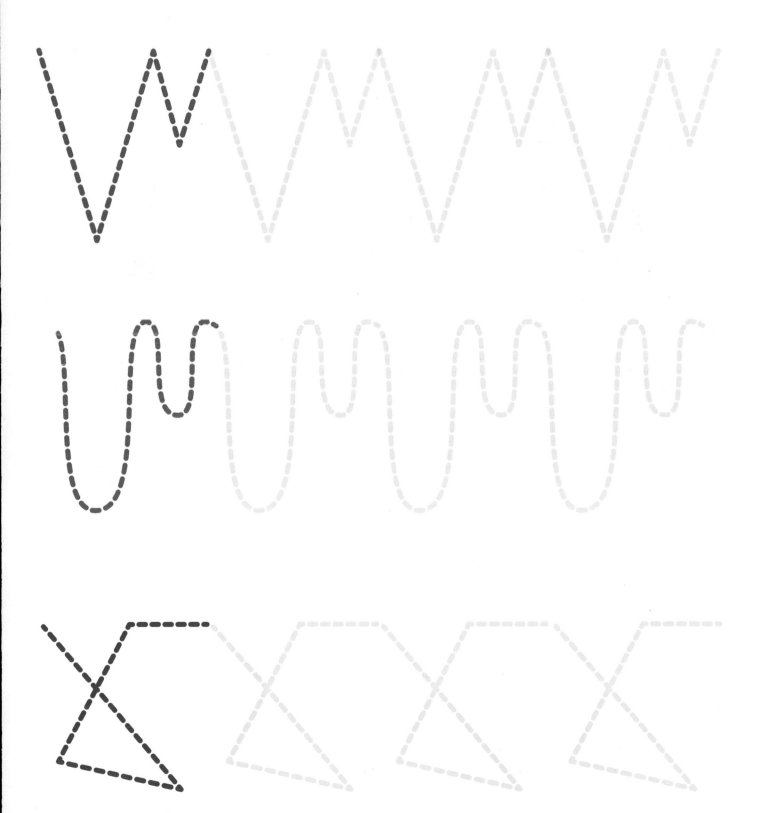

Observe les animaux, puis entoure celui qui est seul. Il n'y en a qu'un ! Colorie le chiffre 1.

Observe l'image, puis relie les 2 paires identiques.
Colorie le chiffre 2.

Observe les images et entoure les 3 pommes identiques.
Colorie le chiffre 3.

Observe les images et entoure les 4 papillons identiques.
Colorie le chiffre 4.

Colorie ce dessin en respectant le code couleur.

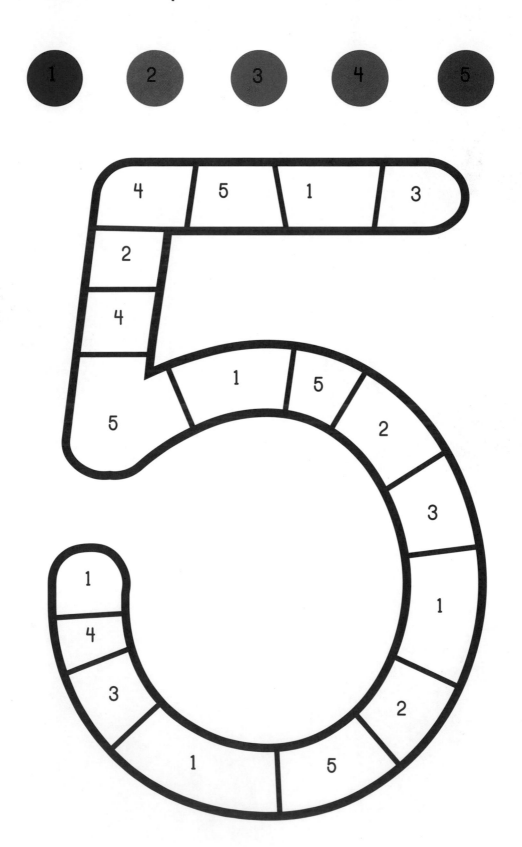

Dans le parc, il y a 6 chats. Dessine les chats qui manquent.
Colorie le chiffre 6.

Colorie 7 souris.

Dessine un bonhomme de neige à partir du chiffre 8.

Entoure tous les chiffres 9 que tu vois dans la page.
Colorie le chiffre 9.

Combien y a-t-il de fruits dans chaque bande?
Entoure la bonne réponse.

1 2 3 4

1 2 3 4

1 2 3 4

Compter

Combien y a-t-il d'oiseaux dans chaque bande ?
Entoure la bonne réponse.

1   2   3   4

1   2   3   4

1   2   3   4

Combien y a-t-il d'outils dans chaque bande?
Entoure la bonne réponse.

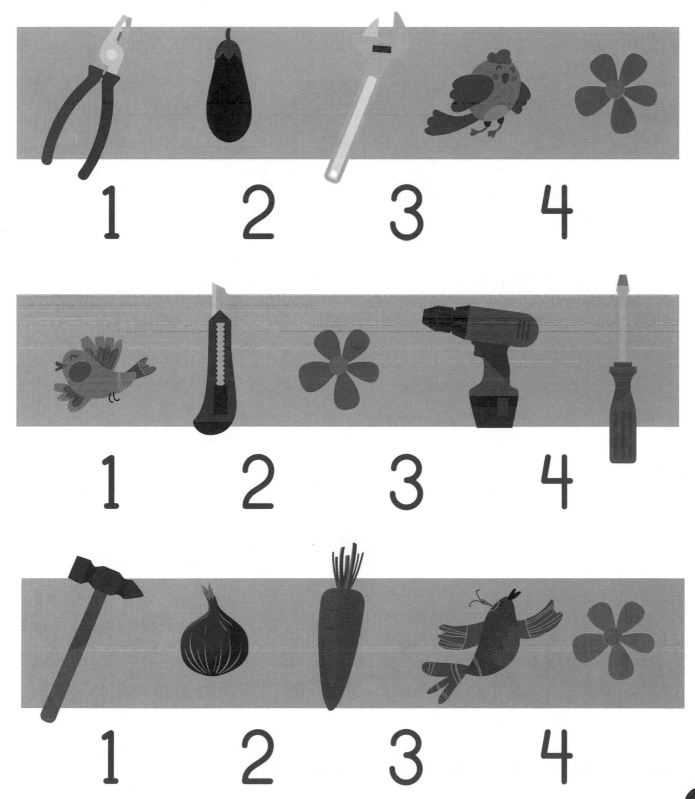

Compter

Combien y a-t-il de pommes dans cet arbre ?
Écris ta réponse dans la pastille de couleur.
Puis, dessines-en 5 sur le sol.

Combien y a-t-il de nuages dans le ciel ?
Compte et écris le chiffre dans chaque nuage.

Dessine le bon nombre de boutons sur chaque chemise.

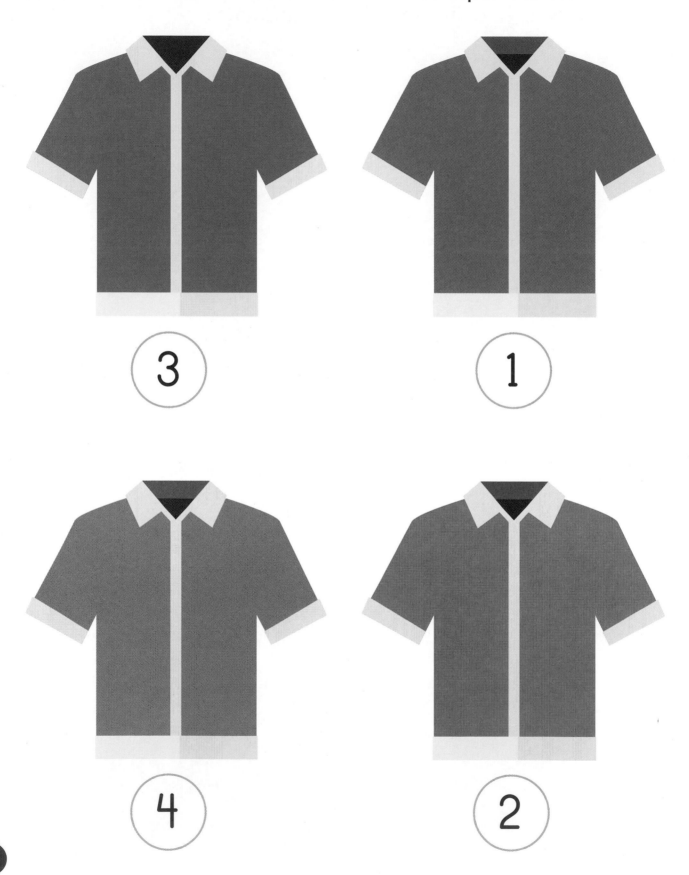

Dessine le bon nombre de pois sur les coccinelles.

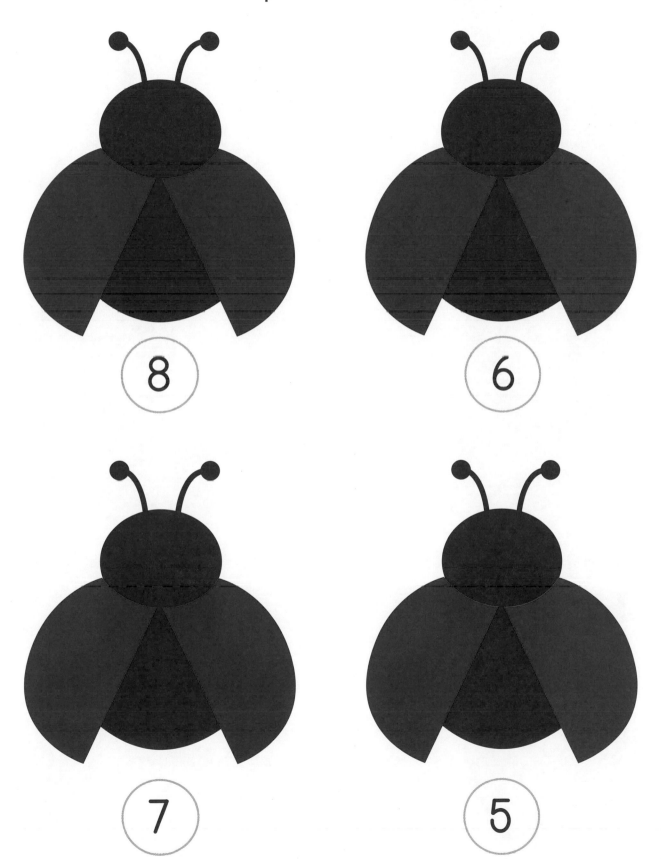

Relie les groupes qui contiennent le même nombre d'éléments.

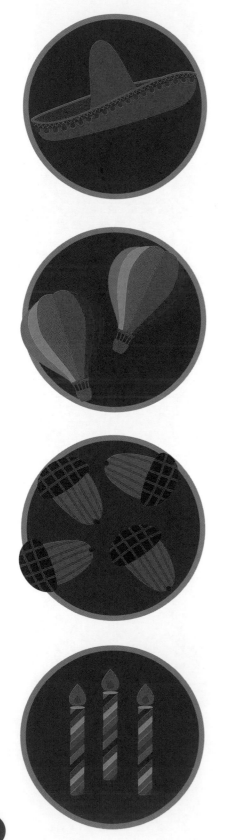
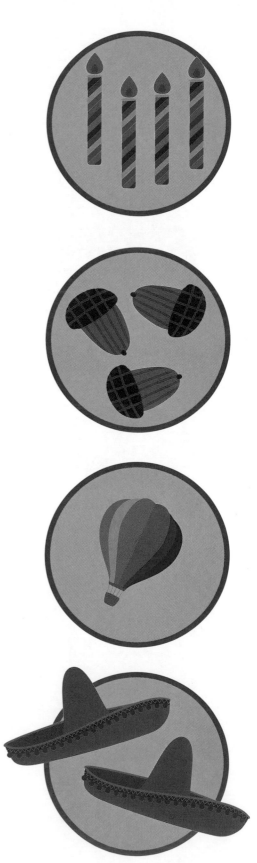

Relie les groupes qui contiennent le même nombre d'éléments.

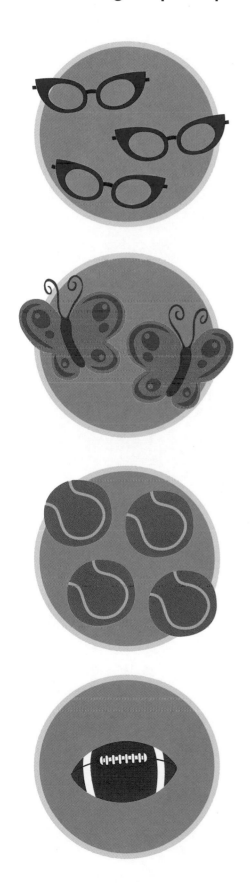

Relie les groupes qui contiennent le même nombre d'éléments.

Relie chaque chiffre au groupe correspondant.

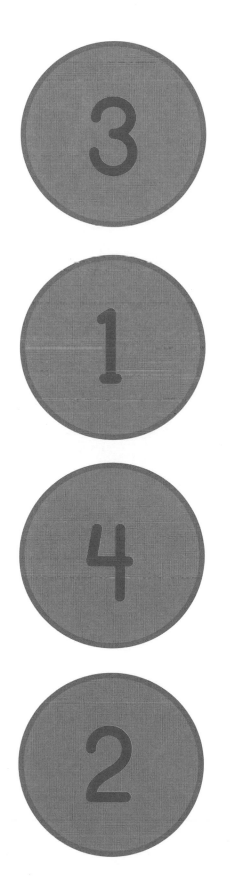

Relie chaque chiffre au groupe correspondant.

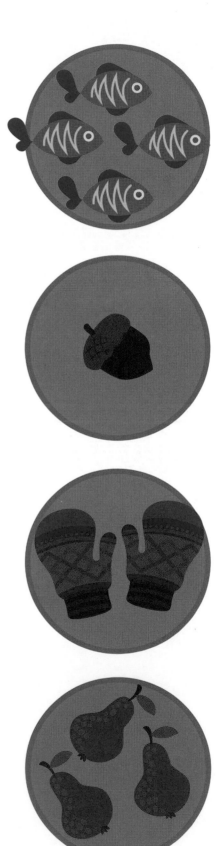

Qu'est-ce qui vient avant ou après? Écris la bonne réponse.

Qu'est-ce qui vient après ? Écris ta réponse dans la case.

1 2 3 ☐

4 5 6 ☐

3 4 5 ☐

6 7 8 ☐

Forme des paires en reliant les éléments deux par deux.

Jouer

Aide le dinosaure à retrouver ses œufs.

Relie les éléments qui vont ensemble.

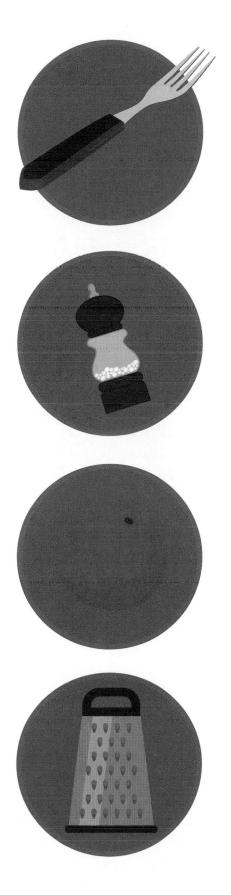
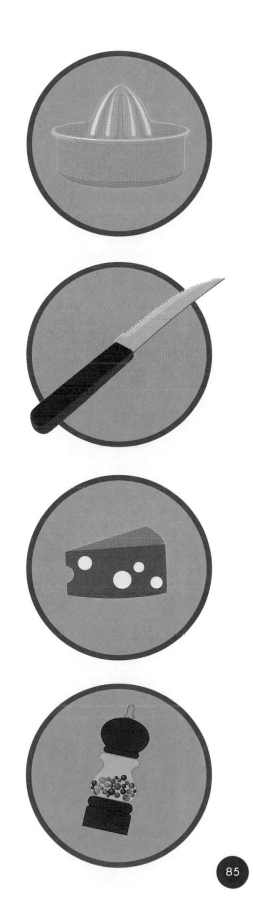

Relie chaque petit à sa maman.

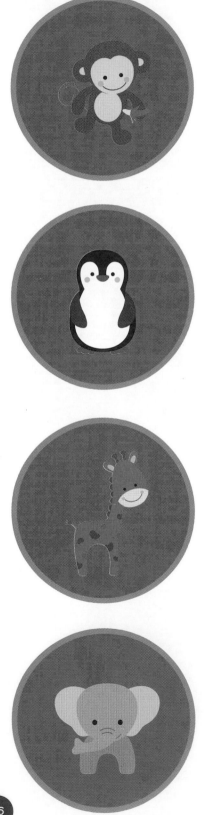

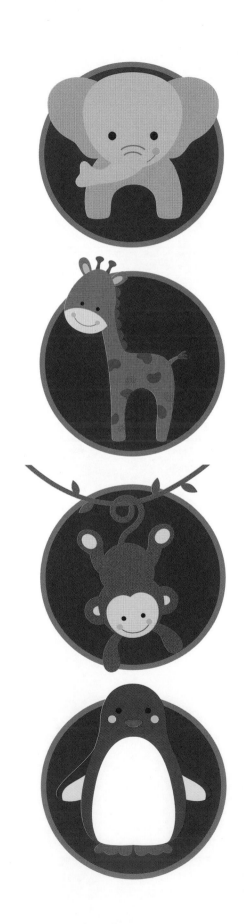

Relie chaque animal au produit qu'il fabrique.

Relie chaque animal à sa nourriture préférée.

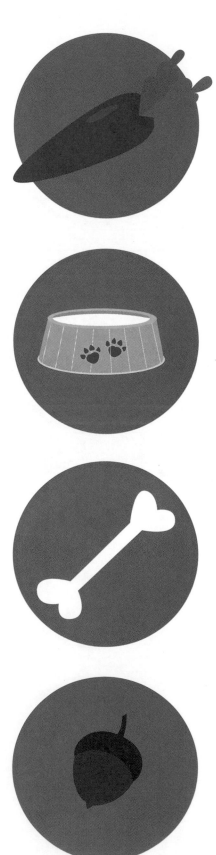

Suis les chapeaux pour arriver au gâteau de fête.

Aide l'otarie à retourner au cirque. Trace le chemin.

Relie les points de 1 à 10 pour compléter ce dessin.

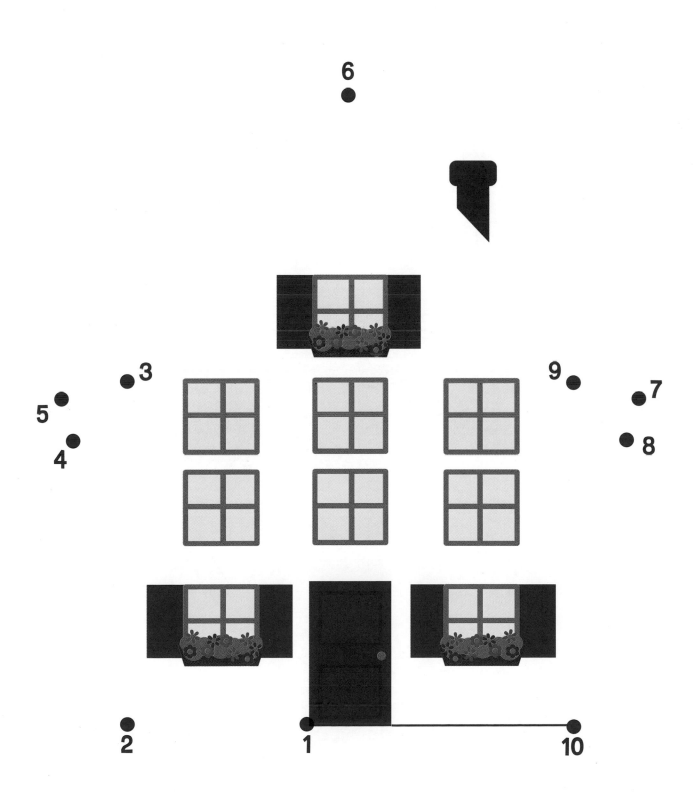

Aide les abeilles à retrouver leur ruche. Trace le chemin.

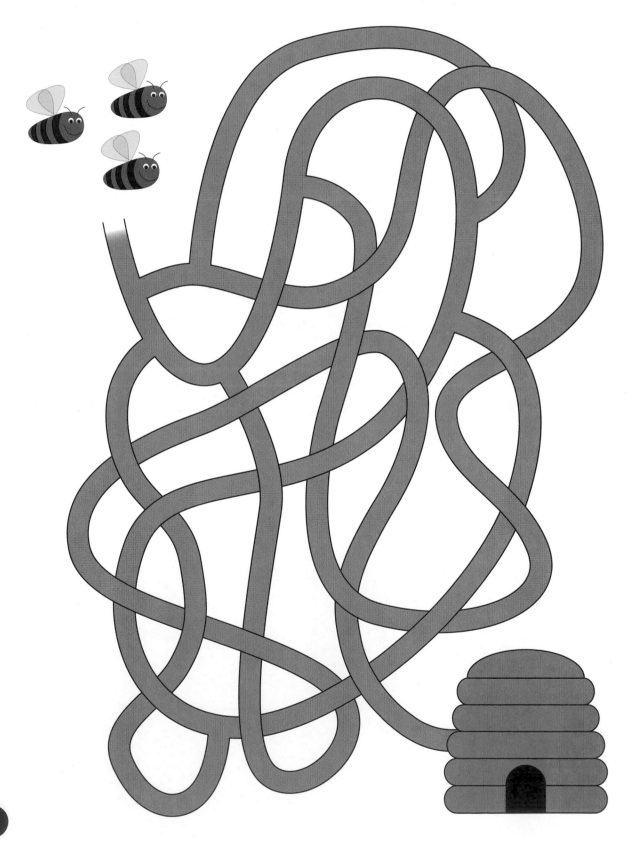

Aide le chaton à attraper la souris. Trace le chemin.

Aide le petit cochon à retourner à la ferme. Trace le chemin.

Retrace le chemin entre les mitaines et leur pelote de laine.

PRÉMATERNELLE

DIPLÔME

Félicitations!

Tu as terminé tes activités avec succès.

_____

Nom

_____

Date

_____

Signature